ARWY...URIWR

DEI...OWIG

Dar... Duffy

Alamosaurus oedd Arwyn y deinosor. Roedd yn byw mewn coedwig arbennig iawn. Roedd hi'n goedwig arbennig am ei bod hi'n bodoli chwe deg chwech o filiynau o flynyddoedd yn ôl, mewn oes o'r enw y Cyfnod Cretasig.

Pan gafodd Arwyn ei eni, roedd Mam a Dad mor falch, dyma nhw'n dewis rhoi enw crand iawn iddo. Dyma nhw'n ei alw'n Arwyn yr Anturiwr. Ond roedd hyn braidd yn anffodus. Doedd Arwyn ddim yn anturus o gwbl – mewn gwirionedd, roedd e'n **Alamosaurus ofnus!**

Roedd Arwyn a'i deulu yn ddeinosoriaid arbennig iawn, iawn, oherwydd mai deinosoriaid sauropod oedden nhw – y deinosoriad trymaf yn y goedwig. Roedden nhw mor fawr nes bod sŵn eu traed yn atseinio drwy'r goedwig i gyd. Ond er mor fawr oedden nhw, roedd Arwyn a'i deulu yn dyner iawn. Bydden nhw'n treulio'r diwrnodau'n cnoi llysiau gwyrdd yn dawel yng nghanol y coed.

Ond roedd criw arall o ddeinosoriaid yn byw yn y goedwig Gretasig hefyd, y Tyrannosaurus rex. Hen fwystfilod mawr cas oedd yn bwyta cig oedd y T. rex. Roedden nhw'n **FAWR** ac yn **SWNLLYD!**

Doedd dim rhyfedd bod Arwyn druan yn crynu yn ei esgidiau wrth glywed…

sŵn eu traed trwm ar y tir – **BŴM! BŴM! BŴM!**

eu **rhuo'n** rhwygo'r awyr –

RRRAAAAAAAAAAAAAAAAARRR!

a'u dannedd **mawr miniog...**

6

Ond nid dim ond y T. rex oedd yn codi ofn ar Arwyn. Roedd arno ofn POPETH yn y goedwig. Yn y diwedd, cafodd Mam lond bol. Roedd yn rhaid gwneud rhywbeth. Felly un diwrnod, aeth ag Arwyn am dro drwy'r goedwig i weld y golygfeydd gwych, i glywed y synau swynol ac i ddysgu bod dim i'w ofni.

Pan ddechreuodd y ddau gerdded, doedd dim siw na miw i'w glywed. Yn sydyn, clywsant **SGREEEEEECH** pterosaur yn hedfan uwchben.

"O na!" criodd Arwyn, "Ydy e'n mynd i fy mwyta i?"

"Paid ag ofni," meddai Mam. "Edrych pa mor uchel mae e, a pha mor fach. All e ddim brifo deinosor mor fawr â ti!"

Cerddodd y ddau ymlaen – ond yn araf iawn, iawn oherwydd bod Arwyn yn edrych yn ofnus tua'r awyr...

Yn sydyn, boddwyd y coed mewn sŵn. **PATAPATAPATAPAT!**

"O na!" criodd Arwyn, "T. rex yw hwnna, yn rhuthro drwy'r
coed i fy mwyta i!"

"Na Arwyn," meddai Mam, "Dyna sŵn *pitrwm patrwm* y glaw
ar y dail. Gwranda! Mae'n sŵn hyfryd."

Gwrandawodd Arwyn yn astud. Sylweddolodd fod ei fam yn iawn
a theimlodd yn llawer hapusach, yn enwedig pan ymddangosodd
lliwiau pert yr enfys yn yr awyr.

Peidiodd y glaw, a chlywodd Arwyn sgrech y pterosaur uwchben.
Meddyliodd ei fod yn sŵn eithaf siriol wedi'r cwbl.

Cerddodd y ddau ymlaen – ond cyn hir roedd ofn ar Arwyn eto...

"O na!" criodd Arwyn, "Dwi'n gallu clywed **BŴM! BŴM! BŴM!** traed T. rex!"

"O Arwyn!" meddai Mam, "Nid T. rex yw hwnna ... ond ti!"

"Waw," atebodd Arwyn, "Dwi **yn** gwneud llawer o sŵn! Ti'n iawn Mam, mae bwyta llysiau gwyrdd yn gwneud i fi dyfu'n ddeinosor mawr, cryf!"

Cerddodd y ddau ymlaen.

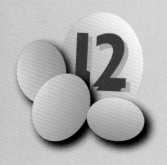

12

Cerddodd y ddau at lan yr afon i weld ffrind Mam, Bethan y Broga. Wrth iddyn nhw nesáu, roedden nhw'n gallu clywed Bethan yn **CRAAAAWCIAN** ei chân.

"O na!" criodd Arwyn, "Dyna sŵn stumog T. rex yn rwmblo! Mae'n mynd i fy mwyta i!"

"O Arwyn!" chwarddodd Mam. On'd oedd Arwyn yn wirion bost yn meddwl taw bol llwglyd T. rex oedd canu Bethan?

"Dyma fy ffrind i, Bethan y Broga. On'd oes ganddi gân hyfryd?"

14

"O, oes." ochneidiodd Arwyn, "Mae hi'n gân hyfryd, does dim byd i'w ofni o gwbl."

Ar ôl canu deuawd fach gyda Bethan – wel, Bethan yn **CRAAAAWCIAN** ac Arwyn yn gwneud sŵn **MWWWW** rhyfedd! – roedd Arwyn yn teimlo'n hapusach o lawer ac ychydig bach, bach ... **yn anturus!**

Penderfynodd Mam ei bod hi'n hen bryd i Arwyn gwrdd â'i ffrindiau yn y llannerch.

Roedd Heddwyn yr Hadrosaur a'i ffrindiau yn griw diddorol iawn. Roedden nhw'n edrych braidd yn rhyfedd gyda'r cribau ar eu pennau, ond roedd y cribau yn bwysig iawn. Dyma eu trympedi, a doedd dim yn well ganddyn nhw na chanu'r offerynnau fel hyn...

BRAAAAAP! BRAAP! BRAAAAAP!

Wrth i Arwyn a Mam nesáu at y llannerch, cododd sŵn y trympedi'n uwch ac yn uwch. Edrychodd Mam yn nerfus ar Arwyn. A fyddai'n cael ofn eto, ac yn rhedeg i ffwrdd? Ond na. Roedd Arwyn yn wên o glust i glust.

"Mam," meddai'n hapus, "mae'r gerddoriaeth yma'n wych!
Dwi eisiau dawnsio!"

18

A dyma Arwyn yn dechrau dawnsio a bloeddio a brefu canu i gyfeiliant côr y goedwig.

SGREEEEECH! sgrechiodd y pterosaur
PATAPATAPAT! disgynnodd y glaw
CRAAAAAAWC! canodd y broga
MWWWWWWW! brefodd Arwyn
BRAAAAAAAP! trympedodd yr Hadrosaur
BŴM! BŴM! BŴM! dawnsiodd yr Alamosaurus eraill.

A rhywle yn nyfnderoedd y goedwig, **rhuodd** y T. rex.

Ond wyddoch chi beth?
Doedd dim ofn ar Arwyn erbyn hyn. Roedd e wedi
sylweddoli lle mor anturus oedd y goedwig Gretasig.
Doedd dim angen ofni wedi'r cyfan.

22

Dyma ragor o luniau. Edrychwch pa mor fawr – neu fach! – oedd y creaduriaid a welodd Arwyn yn y goedwig o'u cymharu â ni. Rydyn ni wedi rhoi Bethan dan chwyddwydr oherwydd, o'i chymharu â'r gweddill, byddai mor fach ag atalnod llawn!

←ni!